LUDWIG VAN BEETHOVEN [1770–1827]

I Koncert fortepianowy C-dur op. 15 [1795–1800]
Piano Concerto No. 1 in C major, Op. 15

1. *Allegro con brio*
2. *Largo*
3. *Rondo. Allegro*

~

MARTHA ARGERICH
fortepian historyczny period piano [Erard 1849]

THE ORCHESTRA OF THE 18TH CENTURY
[Orkiestra XVIII Wieku]

FRANS BRÜGGEN *dyrygent conductor*

Nagrania dokonano podczas koncertu festiwalu *Chopin i jego Europa* w Studio Koncertowym
Polskiego Radia im. Witolda Lutosławskiego, Warszawa, 28 sierpnia 2012
Recorded during the festival 'Chopin and his Europe' at the Witold Lutosławski Concert Studio
of Polish Radio, Warsaw, 28 August 2012

~

Sekret orkiestry The Breath of the Orchestra

Film zrealizowany podczas festiwalu *Chopin i jego Europa*, Warszawa 2013
The film shot during the festival 'Chopin and his Europe', Warsaw 2013
Reżyseria / Directed by Kasia Kasica

~

D1291945

ARODOWY
STYTUT
:YDERYKA
:OPINA

Sensacyjny występ Marthy Argerich
z Orkiestrą XVIII Wieku
pod batutą Fransa Brüggena,
z którą wykonała *I Koncert fortepianowy*
Ludwiga van Beethovena
po raz pierwszy na instrumencie
historycznym w ramach festiwalu
„Chopin i jego Europa".

The world's first recording on historical
instruments of Ludwig van Beethoven's
Piano Concerto No. 1,
featuring a sensational performance
given by Martha Argerich with
the Orchestra of the 18th Century
under the baton of Frans Brüggen during
the 'Chopin and his Europe' festival.

„PRZEJĄĆ DUCHA MOZARTA..."
Wokół *I Koncertu fortepianowego C-dur* Ludwiga van Beethovena

~

Kiedy w listopadzie 1792 roku niespełna 22-letni Ludwig van Beethoven opuszczał Bonn, swoje rodzinne miasto z zamiarem dokonania muzycznego podboju Wiednia, jego nazwisko w stolicy Austrii nie było już znawcom pianistyki obce. Wieść o piekielnie uzdolnionym młodym niemieckim wirtuozie dotarła tu szybciej od niego. Z zainteresowaniem więc nad Dunajem wyczekiwano pojawienia się tego muzyka, którego nadrzędnym celem miało być – jak napisał jeden z jego protektorów hrabia Waldstein – „przejęcie ducha Mozarta z rąk Haydna" (Beethoven przybył do Wiednia niespełna rok po śmierci autora *Don Giovanniego*). Ci, którzy na niego czekali generalnie nie zawiedli się, nie licząc Josepha Haydna, u którego Ludwig tylko przez kilka miesięcy wytrzymał na tak wcześniej upragnionych lekcjach kontrapunktu, bo sędziwy klasyk zaczął mieć wyraźne trudności z powstrzymywaniem wybuchów zawodowej zazdrości o młodego geniusza (obaj artyści spotkali się zresztą po raz pierwszy już 2 lata wcześniej w Bonn, podczas głośnej podróży Haydna do Londynu).

~

Niemiecki muzyk zatem szybko i łatwo zawojował stolicę Cesarstwa Austriackiego. Ale zanim stał się tam kompozytorskim bożyszczem, najpierw wzbudził sensację jako niezrównany wykonawca i improwizator, który chętnie stawał w szranki z największymi pianistami epoki i dosłownie miażdżył ich potęgą uderzenia i improwizacyjnej wyobraźni, jak na przykład Daniela Steibelta albo – jeszcze wyraźniej – Josepha Jelinka, któremu po przegranym „pojedynku" miał się ponoć wyrwać okrzyk, że za grą Beethovena muszą stać nieczyste siły. Właściwie na godnego siebie przeciwnika natrafił w Wiedniu tylko raz, gdy w 1799 roku, w domu barona Raimunda Wetzlara von Plankenstern stanął do rywalizacji z młodszym od siebie o trzy lata salzburczykiem Josephem Wölfflem, uczniem nie byle kogo, bo Leopolda Mozarta (ojca Amadeusza) i Michaela Haydna (brata Josepha). Choć Beethoven tego pojedynku nie wygrał (ogłoszono remis), prasa donosiła później, że większość słuchaczy raczej skłaniała się ku Wölfflowi, którego gra imponowała nadzwyczajną delikatnością, a zarazem precyzją w egzekwowaniu zwiewnych pasaży.

~

Należy jednak pamiętać, że Beethoven-pianista podbił muzyczną Europę ostatniej dekady XVIII wieku cechami gry poniekąd przeciwstawnymi: właściwie niespotykanym dotąd, frenetycznym, pełnym gwałtownych kontrastów typem ekspresji, z którym w parze szła fenomenalna technika, zapierająca dech w piersiach szczególnie wtedy, gdy artysta wykonywał podwójne tryle i wielkie skoki interwałowe. Poza tym w 1799, roku rywalizacji z Wölfflem, zaczęły nasilać się objawy głuchoty. Za kilkanaście lat choroba ta miała sprawić, że okrutnie odcięty od świata zwykłych (bo nie wyobrażonych przecież) dźwięków kompozytor, siadając do fortepianu z intencją zademonstrowania fragmentu jakiegoś utworu zaczynał niemiłosiernie bębnić w klawiaturę, czym wprowadzał swych rozmówców w przykrą konsternację.

~

Dla każdego muzyka dobijającego się na przełomie XVIII i XIX wieku do bram wielkiej sławy, skrupulatna opatrzność wystawiała przepustkę nie tylko na podstawie oceny występów solowych czy udziału w spektakularnych „pojedynkach na improwizacje", ale także po „przeanalizowaniu" występów z orkiestrą danego kandydata do wielkości. A te ostatnie najwięcej pożytku przynosiły wówczas, gdy wirtuoz grał utwór własnego autorstwa. Musiał więc w Wiedniu Beethoven szybko uzupełnić luki w swojej kompozytorskiej tece i stworzyć utwory z orkiestrą. W rezultacie – nie licząc juweniliów – powstały dwa koncerty fortepianowe: B-dur i C-dur. Z chronologią tych dzieł jest sytuacja bardzo podobna, jak z *Koncertami fortepianowymi* Chopina: ich numeracja opusowa i kolejność wydania nie pokrywa się z kolejnością powstania. *I Koncert fortepianowy C-dur* op. 15 Beethoven skomponował około roku 1798 (wersja ostateczna pochodzi z 1800), czyli mniej więcej 3 lata po napisaniu *Koncertu fortepianowego B-dur* op. 19, który, choć mniej zaawansowany technicznie, znacznie skromniejszy w formie i obsadzie instrumentalnej, jest – i zapewne już po wsze czasy będzie – oficjalnie oznaczany numerem drugim.

~

I Koncert C-dur, zadedykowany przez Beethovena swojej uczennicy Babette von Keglevics, księżnej Odescalchi (niemal równolegle kompozytor poświęcił tej księżniczce także *Sonatę fortepianową Es-dur* op. 7), określa się często mianem dzieła mozartowskiego. Jest w tym zapewne wiele słuszności i może nawet nie byłoby nieuzasadnione wskazywanie jego konkretnego pierwowzoru przynajmniej dla pierwszej części. Chodzi mianowicie o „późny", *XXV Koncert fortepianowy C-dur* KV 503 Mozarta, w owym czasie raczej zaniedbywane dzieło Mozarta, które cenił wszakże bardzo zaprzyjaźniony z Beethovenem bliski uczeń Wolfganga Amadeusza i jeden z prekursorów stylu *brillant* Johann Nepomuk Hummel.

~

Naturalnie, biorąc pod uwagę takie współczynniki, jak równorzędne traktowanie solisty i orkiestry (tak odmienne od rodzącego się właśnie stylu *brillant*, gdzie orkiestra zawsze w końcu musiała schodzić na plan dalszy), jak typ okazałej instrumentacji z fletem, obojami, klarnetami (zresztą akurat nieobecnymi w KV 503 Mozarta), fagotami, rogami, trąbkami i kotłami czy wreszcie stosunkowo proste, nieomal banalne wyjściowe formuły tematyczne (dopiero w trakcie przebiegu formy mistrzowsko przetwarzane i pogłębiane), będzie w tym skojarzeniu obu *Koncertów C-dur* trochę racji.

~

Z drugiej jednak strony w opus 15. Beethoven się od ducha Mozarta oddala. Przede wszystkim zwiększa rozmiary swego utworu, nieznacznie, ale już zauważalnie zagęszcza fakturę partii fortepianu, jedynie sporadycznie stosując tak typowe dla „późnego" Mozarta, pozornie „niedoszlifowanie" (a doskonale przecież!) figuracje w partii solisty, prowadzone tylko jedną ręką. Nie odnajdziemy również u Beethovena tej nadzwyczajnej Mozartowskiej szczodrości tematycznej. O ile często (właśnie w *XXV Koncercie C-dur*) w katalogu dzieł twórcy *Czarodziejskiego fletu* spotkamy formy sonatowe złożone z czterech czy nawet pięciu tematów, o tyle Beethoven w tym czasie skłania się ku konstrukcji dwutematowej. No i jeszcze jedna, kluczowa kwestia: stosunek twórcy do fazy środkowej formy, tak zwanego przetworzenia. U Mozarta bywa ono prawie zawsze zwięzłe i krótkie, natychmiast ujmujące słuchacza za serce, u Beethovena – jest natomiast znacznie bardziej rozbudowane i często nadaje formie główny sens, wytyczając zasadniczy ośrodek architektonicznej grawitacji.

~

Część pierwsza *I Koncertu C-dur – Allegro con brio* – to rozbudowana forma sonatowa właśnie o dwóch wyraźnie skrystalizowanych tematach, które jednak nie wywołują wrażenia dramatycznego konfliktu. Ogólnie pogodna i zdecydowanie aktywistyczna (marsz na otwarcie) aura tego ogniwa ulega znaczącemu przyciemnieniu dopiero w przetworzeniu, szczególnie wówczas, gdy pianiście przychodzi realizować opadające chromatycznie figury prawej ręki, na tle dyskretnego akompaniamentu orkiestry. Na końcu rozbudowanej reprzy kompozytor przewidział oczywiście efektowną kadencję. Nieposkromiony w swoich dążeniach do udoskonalania wytworów własnej wyobraźni Beethoven napisał aż trzy alternatywne fragmenty tego rodzaju; dwie pierwsze kadencje są „normalnych", kilkudziesięciotaktowych rozmiarów, trzecia – to narcystyczne monstrum, dające co prawda soliście się porządnie „wygrać", ale kosztem zaburzenia formalnych proporcji. Martha Argerich, wykonawczyni *I Koncertu C-dur* na niniejszej płycie, która od wielu dekad nie musi światu udowadniać, że jest fenomenalną pianistką, do prezentowanego nagrania wybrała kadencję numer dwa.

~

Część drugą – *Largo* – umieścił Beethoven w tonacji As-dur, co odczytać można jako pewien przejaw młodzieńczej ekstrawagancji (w tej samej tonacji swoje miłosne *Larghetto* z *II Koncertu f-moll* 32 lata później umieści Chopin, tyle że owo As-dur będzie w kontekście głównej tonacji f-moll doskonale „uzasadnione" wewnętrzną logiką koła kwintowego). Część ta stanowi formę wariacyjną zarysowaną bardzo subtelną kreską, gdzie kolejnym konturom tematu głównego towarzyszą coraz bardziej wymyślne zestawy instrumentalne, zapowiadające już genialnego mistrza orkiestracji o niewyczerpanej inwencji na tym polu.

Utrzymany w formie ronda finał *Koncertu C-dur*, za sprawą wielokrotnie powracającego refrenu, tworzy taką małą „apoteozę tańca" i zarazem hołd złożony – niezmiernie popularnej w klasycyzmie – muzyce janczarskiej (to już w trzecim z kupletów, w tonacji a-moll).

Sam żywiołowy temat główny tej części utrzymany jest w metrum 2/4, co poniektórych komentatorów dzieła skłaniało do przypisania mu cech właściwych polce, a tym samym nadania Beethovenowi tytułu wynalazcy tego czeskiego tańca narodowego, faktycznie wykształconego dopiero około 1830 roku. Pozostawiając te dywagacje znawcom folkloru naszych południowych sąsiadów, warto jeszcze zwrócić uwagę na nieoczekiwane wyhamowanie ogólnego galopu tuż przed samym zakończeniem. Zatrzymanie na dwutaktowym *adagio* jest bardzo zwodnicze i z pewnością zostało obliczone na wywołanie w odbiorcy efektu zaskoczenia, może nawet uśmiechu na twarzy.

~

Trudno wyobrazić sobie kontakt bardziej intymny z dziełem muzycznym niż ma to miejsce w przypadku Marthy Argerich i *I Koncertu fortepianowego* Beethovena. Artystka po raz pierwszy zagrała ten utwór publicznie w wieku zaledwie siedmiu lat, by już rok później wystąpić z nim podczas transmisji ze studia koncertowego Radia El Mundo (rejestracja tej interpretacji szczęśliwie się po latach odnalazła i przed niespełna dekadą została wydana przez wytwórnię IRCO). Potem Martha Argerich grywała *I Koncert* niezliczoną ilość razy, co najmniej dwukrotnie rejestrując je na płytach – w wersji *live* z Seiji Ozawą i Orkiestrą Symfoniczną Radia Bawarskiego (to nagranie z 1983 roku ujrzało światło dzienne ponad ćwierć wieku później) oraz wersji studyjnej z Giuseppe Sinopolim i Philharmonia Orchestra (1994). Z czasem *I Koncert fortepianowy* Beethovena, obok *Koncertu a-moll* Schumanna, *III Koncertu C-dur* Prokofiewa i *Koncertu G-dur* Ravela, stał się okrętem flagowym argentyńskiej mistrzyni.

~

Prezentowane nagranie na mniejszej płycie będzie jednak pierwszym, którego cesarzowa światowej pianistyki w swojej długiej karierze dokonała na instrumencie historycznym. Stało się to 64 lata po wspomnianym debiucie Marthy Argerich, w Warszawie, w trakcie trwania 8. Międzynarodowego Festiwalu Muzycznego „Chopin i jego Europa", kiedy to na tym samym koncercie u boku Fransa Brüggena i jego Orkiestry XVIII Wieku wystąpili także – Maria João Pires w *III Koncercie fortepianowym* Beethovena oraz Janusz Olejniczak w *Koncercie f-moll* Chopina. Późny wieczór 28 sierpnia 2012 roku zapamiętany został przez wiernych słuchaczy Festiwalu, jako jedno z najcelniejszych artystycznie i z pewnością magicznych wydarzeń w dziesięcioletniej historii tej imprezy!

~

Marcin Gmys, 2014

11.

'TO RECEIVE THE SPIRIT OF MOZART...'
The Piano Concerto No. 1 in C major
by Ludwig van Beethoven

~

In November 1792, when the 21-year-old Ludwig van Beethoven left his home city
of Bonn with the intention of launching a musical conquest of Vienna, his name was
already familiar to connoisseurs of pianism in the Austrian capital. News of the
fiendishly talented young German virtuoso had preceded him. So there was interest
and anticipation on the Danube ahead of the appearance there of a musician whose
overriding goal was supposedly—as one of Count Waldstein's protégés wrote—
'to receive the spirit of Mozart from the hands of Haydn' (Beethoven arrived in
Vienna less than a year after Mozart's death). Generally speaking, those who had
awaited him were not disappointed, although they did not include Joseph Haydn,
with whom Ludwig lasted just a few months on the counterpoint lessons that he had
previously so craved, because the venerable Classic found it difficult to stifle outbursts
of professional envy with regard to the young genius (they had met for the first time
two years earlier, in Bonn, during Haydn's much publicised journey to London).

~

So the German musician stormed the capital of the Austrian empire quickly and
easily. Yet before becoming idolised as a composer there, he first caused a sensation
as an incomparable performer and improviser, who willingly jousted with the greatest
pianists of the day and literally crushed them with the might of his striking and
his improvisational imagination; they included Daniel Steibelt and—even more
distinctly—Joseph Jelinek, who after losing his 'duel' apparently exclaimed that
evil forces must have been behind Beethoven's playing. He only really met a worthy
rival in Vienna once, in 1799, when at the home of Baron Raimund Wetzlar von
Plankenstern he stood toe to toe with the Salzburg-born Joseph Wölffl, three years
his junior, a pupil of none other than Leopold Mozart (Amadeus' father) and
Michael Haydn (Joseph's brother). Although Beethoven did not lose that duel (it was
declared a tie), the press later reported that most listeners were rather in favour of
Wölffl, whose playing impressed them with its remarkable delicacy, and at the same
time his precision in executing airy passages.

~

It should be remembered, however, that Beethoven the pianist had conquered the
musical Europe of the last decade of the eighteenth century with a playing style
characterised by features that were in a way contradictory: an essentially unprecedented
frenetic type of expression, full of violent contrasts, allied to phenomenal technique,

particularly breathtaking in double trills and large interval leaps. Besides that, in 1799, the year of his rivalry with Wölffl, his symptoms of deafness began to grow worse. Around a dozen years or so later, that condition would result in Beethoven, cruelly cut off from the world of ordinary (not imagined) sounds, causing consternation among those to whom he wished to demonstrate a passage from one of his works by drumming mercilessly on the keyboard.

~

For every musician knocking on the door of celebrity around the turn of the nineteenth century, scrupulous providence issued its passes not just on the basis of evaluations of solo performances or participation in spectacular 'improvisation duels', but also after 'analysing' a candidate's performances with orchestra. And these brought the greatest benefit when the virtuoso played his own compositions. So on arriving in Vienna, Beethoven quickly had to plug the gaps in his compositional portfolio and write works with orchestra. The results—not including the juvenilia—comprised two piano concertos: in B flat major and in C major. The situation regarding these works' chronology is very similar to that with the piano concertos of Chopin: their opus numbering and publication dates do not tally with the order in which they were composed. Beethoven wrote his Piano Concerto No. 1 in C major, Op. 15 around 1798 (the final version dates from 1800), and so more or less three years after writing the Piano Concerto in B flat major, Op. 19, which, although technically less advanced, much more modest in its form and its instrumental forces, is officially marked—and will doubtless remain so for all eternity—as No. 2.

~

The Concerto No. 1 in C major, dedicated by Beethoven to his pupil Babette von Keglevics, Countess Odescalchi (at virtually the same time, the composer also dedicated to the countess his Piano Sonata in E flat major, Op. 7), is often dubbed a Mozartean work. No doubt there is much to support such a designation, and it might not even be unjustified to point to a specific prototype, at least for the opening movement. The work in question is Mozart's 'late' Piano Concerto No. 25 in C major, K503, which at that time was rather neglected, but was highly valued by Beethoven's friend Johann Nepomuk Hummel, a pupil of Wolfgang Amadeus and one of the pioneers of the *style brillant*.

~

Naturally, taking into account such factors as the equal treatment of soloist and orchestra (so different from the 'brilliant' style that was emerging at that time, where the orchestra ultimately had to retreat into the background), the type of grand instrumentation, including flute, oboes, clarinets (not actually present in Mozart's K503), bassoons, horns, trumpets and timpani, and also the relatively simple, almost banal initial thematic formations (masterfully processed and enhanced), there are some grounds for associating the two C major concertos.

~

On the other hand, however, in his opus 15 Beethoven departs from the spirit of Mozart. Above all, he expands the dimensions of his work, as well as thickening the texture of the piano part—not by much, but discernibly nevertheless—and only sporadically employing those ostensibly 'unpolished' (yet impeccable!) figurations in the solo part, led with just one hand, that are so typical of 'late' Mozart. Neither do we find in the Beethoven that remarkable Mozartean thematic munificence. Whilst we often find in Mozart's œuvre (including in the Concerto No. 25 in C major) sonata forms comprising four or even five themes, Beethoven is more inclined towards a two-theme design. And one more thing, of crucial significance: the two composers' attitudes towards the middle phase in the form, the so-called development. With Mozart, it is nearly always short and compact, immediately tugging at the listener's heart-strings; with Beethoven, meanwhile, it is much more elaborate and often imparts the principal meaning to the form, establishing the fundamental centre of architectonic gravity.

~

The first movement of the Concerto No. 1 in C major, Allegro con brio, is an expansive sonata form with two distinctly crystallised themes, which nevertheless do not create the impression of dramatic conflict. The ambience of this movement, generally cheerful and decidedly active (the march at the beginning), is only darkened in the development, particularly when the pianist comes to realise the chromatically falling figures of the right hand against the discreet accompaniment of the orchestra. At the end of the elaborate reprise, the composer naturally placed an impressive cadenza. Undaunted in his aspirations to perfecting the products of his imagination, Beethoven wrote as many as three alternative passages of that kind; the first two cadenzas are of 'normal' dimensions, lasting a few dozen bars, whilst the third is a narcissistic monster, allowing the soloist to really 'show their stuff', but at the cost of disrupting the formal proportions. Martha Argerich, the performer of the C major Concerto on our DVD, who for many decades now has had no need to prove to the world that she is a phenomenal pianist, chose cadenza number two for this recording.

~

Beethoven set the second movement, Largo, in the key of A flat major, which may be ascribed to youthful extravagance (thirty-two years later, Chopin would couch the amorous Larghetto from his F minor Concerto in the same key, yet that A flat major would be within the context of the principal key of F minor, perfectly 'justified' by the inner logic of the circle of fifths). This movement constitutes a variation form drawn with a very subtle line, where the successive contours of the principal theme are accompanied by increasingly ingenious combinations of instruments, giving us a glimpse of the brilliant master of orchestration with inexhaustible inventiveness in that domain. The finale of the Concerto in C major, adhering to a rondo form, by means of a refrain reiterated many times over, forges a kind of mini 'apotheosis of the dance', and at the same time a tribute to janissary music (in the third of the episodes, in the key of A minor), which was incredibly popular during the Classical era. The exuberant main theme of this movement is in 2/4, which has prompted some commentators to ascribe to it features proper to the polka, and by the same stroke to make Beethoven the inventor of that Czech national dance, which did not actually take shape until 1830. Leaving those digressions to experts on the folklore of our southern neighbours, it is worth just drawing attention to the unexpected reining-in of the generalised gallop just before the actual ending. The suspension on a two-bar *adagio* is most beguiling, and it was certainly calculated to produce the effect of surprise in the listener, and possibly even elicit a smile.

~

It would be hard to imagine a more intimate contact with a musical work than in the case of Martha Argerich and Beethoven's Piano Concerto No. 1. Argerich first played this work in public aged barely seven, before performing it a year later in a broadcast from the concert studio of Radio El Mundo (happily, a recording of that interpretation was found years later, and it was released several years ago on the IRCO label). Subsequently, Martha Argerich played the C major Concerto countless times, recording it onto disc at least twice: in a live version with Seiji Ozawa and the Bavarian Radio Symphony Orchestra (that recording, from 1983, only saw the light of day more than a quarter of a century later) and in a studio version with Giuseppe Sinopoli and the Philharmonia Orchestra (1994). Over time, Beethoven's First Piano Concerto, alongside Schumann's Concerto in A minor, Prokofiev's Third Concerto in C major and Ravel's Concerto in G major, became a flagship work for the brilliant Argentine pianist. Yet the recording presented on our DVD will be the first made on a period instrument by the empress of world pianism during her long career. It came about sixty-four years after Martha Argerich's debut, in Warsaw, during the eighth edition of the International Music Festival 'Chopin and his Europe'. Also performing in that concert were Maria João Pires, in Beethoven's Piano Concerto No. 3, and Janusz Olejniczak, in Chopin's F minor. The late evening of 28 August 2012 is remembered by faithful listeners to the festival as a magical event, one of the finest, in artistic terms, in the tenth-year history of the festival!

~

Marcin Gmys, 2014 [transl. John Comber]

MARTHA ARGERICH

~

Tryumfatorka 7. Konkursu Chopinowskiego w Warszawie [1965], jak również konkursów pianistycznych w Bolzano i Genewie [1957]. Urodziła się w Buenos Aires. Naukę gry na fortepianie rozpoczęła w wieku 5 lat u Vincenzo Scaramuzzy. Okrzyknięta cudownym dzieckiem, zaczęła koncertować w Argentynie, a po 1955 roku kontynuowała naukę w Londynie, Wiedniu i Szwajcarii pod kierunkiem Bruno Seidlhofera, Friedricha Guldy, Nikity Magaloffa, Arturo Benedetti Michelangelego oraz Stefana Askenasego.

~

W jej bogatym repertuarze znajdują się m.in. utwory Bacha, Bartóka, Beethovena, Messiaena, Chopina, Schumanna, Liszta, Debussy'ego, Ravela, Francka, Prokofiewa, Strawińskiego, Szostakowicza i Czajkowskiego. Regularnie współpracuje z najwybitniejszymi orkiestrami, dyrygentami i festiwalami muzycznymi na całym świecie. W działalności artystycznej pianistki ważną rolę odgrywa kameralistyka. Występuje i nagrywa z Nelsonem Freire i Alexandrem Rabinovitchem, Mischą Maiskym i Gidonem Kremerem. Mówi: „Taka harmonia w grupie ludzi daje mi poczucie siły i spokoju."

~

Dokonała licznych nagrań dla wytworni EMI, Sony, Philips, Teldec i DGG, wyróżnianych tak prestiżowymi nagrodami, jak: Grammy za nagranie koncertów Bartóka i Prokofiewa; otrzymała tytuł Artysty Roku magazynu „Gramophone" i nagrodę za najlepsze nagranie koncertu [za koncerty fortepianowe Fryderyka Chopina], „Choc du Monde de la Musique", tytuł Artysty Roku przyznawany przez niemieckich recenzentów muzycznych; kolejne dwie nagrody Grammy za *Suitę* z *Kopciuszka* Prokofiewa w wersji na dwa fortepiany z Mikhailem Pletnevem [2005] oraz rok później – za *II* i *III Koncert fortepianowy* Beethovena z Orkiestrą Kameralną Gustava Mahlera pod kierunkiem Claudio Abbado, tytuł Płyty Roku „Sunday Times" oraz „BBC Music Magazine Award" za album z muzyką Szostakowicza [EMI, 2007]. Od 1998 roku artystka jest Dyrektorem Artystycznym Festiwalu w Beppu w Japonii. W 1999 roku stworzyła Międzynarodowy Konkurs Pianistyczny i Festiwal Marthy Argerich w Buenos Aires, zaś w 2002 roku – „Progetto Martha Argerich" w Lugano.

~

Otrzymała liczne nagrody i wyróżnienia, m.in.: Krzyż Oficerski [1996] i Krzyż Komandorski [2004] Orderu Sztuki i Literatury od rządu francuskiego; nagrodę Accademia di Santa Cecilia w Rzymie w 1997 roku; „Order Wschodzącego Słońca. Żółte Promienie z Rozetą"– od cesarza Japonii oraz prestiżową „Praemium Imperiale" Japońskiego Stowarzyszenia Sztuki w 2005 roku. Kilkakrotnie już koncertowała w Warszawie na zaproszenie Narodowego Instytutu Fryderyka Chopina, występując podczas festiwali „Chopin i jego Europa" – do legendy przeszedł jej wspólny koncert z Marią João Pires na festiwalu w roku 2010, kiedy to dwie wielkie artystki po raz

pierwszy w historii zasiadły razem do fortepianu. Z Orkiestrą XVIII Wieku Fransa Brüggena zagrały wówczas na oryginalnym instrumencie z epoki – Erardzie z 1849 roku.

~

Winner of the 7th Chopin Competition in Warsaw [1965], and also of the piano competitions in Bolzano and Geneva [1957], Martha Argerich was born in Buenos Aires. She started learning piano at the age of five with Vincenzo Scaramuzza. Hailed as a child prodigy, she was soon giving public performances, before moving to Europe in 1955 to continue her training in London, Vienna and Switzerland with Bruno Seidlhofer, Friedrich Gulda, Nikita Magaloff, Arturo Benedetti Michelangeli and Stefan Askenase.

~

Her broad repertoire includes works by Bach, Bartók, Beethoven, Messiaen, Chopin, Schumann, Liszt, Debussy, Ravel, Franck, Prokofiev, Stravinsky, Shostakovich and Tchaikovsky. She regularly works with the most outstanding orchestras, conductors and music festivals in the world. Chamber music is also an important part of her work. She regularly performs and records with pianists Nelson Freire and Alexandre Rabinovitch, cellist Mischa Maisky, and violinist Gidon Kremer. She says, 'Such harmony in a group of people gives me a feeling of strength and peace.'

~

She has made numerous recordings for EMI, Sony, Philips, Teldec and DGG, garnering such prestigious awards as three Grammies, for Bartók and Prokofiev concertos [2000], Prokofiev's *Cinderella* suite for two pianos with Mikhail Pletnev [2005] and Beethoven's Concertos Nos. 2 and 3 with the Gustav Mahler Chamber Orchestra under Claudio Abbado (2006), Gramophone Artist of the Year and Best Piano Concerto Recording of the Year [for the Chopin concertos], Choc du Monde de la Musique, the German music critics' Artist of the Year award, the Sunday Times Record of the Year and the BBC Music Magazine Award for her Shostakovich album on EMI (2007). Since 1998, she has been Artistic Director of the Beppu Festival, Japan. In 1999, she created the International Piano Competition and the Martha Argerich Festival in Buenos Aires, followed by the Progetto Martha Argerich in Lugano in 2002.

~

Her many awards and distinctions including Officer [1996] and Commander [2004] of the French Ordre des Arts et des Lettres, the Accademia di Santa Cecilia Award (1997), the Order of the Rising Sun [Gold Rays with Rosette] from the Emperor of Japan, and the prestigious Praemium Imperiale of the Japan Art Association [2005]. She has performed in Warsaw several times at the invitation of the Fryderyk Chopin Institute. Her appearances in the 'Chopin and his Europe' festival have included the legendary joint concert with Maria João Pires in 2010, when those two great artists first played together on the same piano – an 1849 Erard, with the Orchestra of the 18th Century conducted by Frans Brüggen.

~

FRANS BRÜGGEN I ORKIESTRA XVIII WIEKU

~

Frans Brüggen, światowej sławy wirtuoz gry na fletach prostych, zaliczany był przez całe dekady do grona czołowych ekspertów wykonawstwa muzyki XVIII wieku. Urodził się w Amsterdamie i studiował muzykologię na tamtejszym Uniwersytecie. W wieku 21 lat został profesorem Konserwatorium Królewskiego w Hadze, później objął stanowisko Erasmus Profesor Uniwersytetu Harvarda oraz Regents Profesor Uniwersytetu w Berkeley. Jednakże, jak napisał Luciano Berio, był on „nie archeologiem, ale wielkim artystą".

~

W 1981 roku stworzył Orkiestrę XVIII Wieku w skład której wchodzili muzycy z kilkunastu krajów: specjaliści w dziedzinie muzyki XVIII i początku XIX wieku, grający na instrumentach z epoki lub ich współczesnych kopiach. Przez ponad trzy dekady orkiestra pod jego kierownictwem odbywała kilka tournée rocznie. Dla wytwórni Philips Classics zarejestrowała szeroki repertuar: dzieła Purcella, Bacha, Rameau, Haydna, Mozarta, Beethovena, Schuberta i Mendelssohna. Wiele z tych nagrań zdobyło międzynarodowe nagrody. Działalność dyrygencka Fransa Brüggena w ostatnich latach obejmowała m.in. współpracę z Królewską Orkiestrą Concertgebouw, Orkiestrą Wieku Oświecenia, orkiestrami filharmonicznymi w Wiedniu, Rotterdamie, Oslo i Sztokholmie, Europejską Orkiestrą Kameralną, Philharmonisches Staatsorchester Hamburg, City of Birmingham Symphony, Tonhalle-Orchester w Zurychu oraz English Chamber Orchestra. W 1991 roku Frans Brüggen wystąpił po raz pierwszy z Orkiestrą Wieku Oświecenia na festiwalu w Salzburgu, a wśród jego późniejszych występów na tej scenie była m.in. wysoko oceniona seria koncertów z Orkiestrą Mozarteum. W 1992 roku Frans Brüggen został, obok Sir Simona Rattle'a, głównym gościnnym dyrygentem Orkiestry Wieku Oświecenia, z którą nagrał dzieła Bacha i Haydna [dla Philips Classics]. Przez wiele lat był gościnnym dyrygentem Orchestre de Paris [wspólnie z Christophem von Dohnányim]. Przygotował muzycznie również szereg produkcji operowych, m.in. *Mitrydatesa, króla Pontu* Mozarta w Zurychu oraz *Orfeusza* Glucka w Operze Lyońskiej.

~

W 2005 roku Orkiestra XVIII Wieku pod dyrekcją Fransa Brüggena zainaugurowała pierwszy Międzynarodowy Festiwal Muzyczny „Chopin i jego Europa". Przez 10 kolejnych jego edycji pozostawała wspólnie ze swym szefem rezydencjalnym zespołem festiwalu, na trwale wpisując się w jego obraz. Frans Brüggen zmarł 13 sierpnia 2014 roku.

~

FRANS BRÜGGEN AND THE ORCHESTRA
OF THE 18TH CENTURY
~

Frans Brüggen, a world-famous recorder virtuoso, was regarded for decades as one of the
foremost experts in the performance of eighteenth-century music. He was born in Amsterdam
and studied musicology at the university there. At twenty-one, he was appointed professor at
the Royal Conservatory in The Hague and later held the posts of Erasmus Professor at Harvard
University and Regents Professor at the University of Berkeley. Yet, as Luciano Berio wrote,
he was 'not an archaeologist but a great artist'.

~

In 1981, he created the Orchestra of the 18th Century, comprising musicians from more than
a dozen countries—specialists in eighteenth and early nineteenth-century music, playing on
period instruments or contemporary copies. For more than three decades, the orchestra under-
took several tours each year under his leadership. The wide-ranging repertoire it has recorded for
Philips Classics includes works by Purcell, Bach, Rameau, Haydn, Mozart, Beethoven, Schubert
and Mendelssohn. Many of their recordings have received international awards. Frans Brüggen's
conducting activities in recent years included collaborations with the Royal Concertgebouw
Orchestra, Orchestra of the Age of Enlightenment, Rotterdam Philharmonic, Chamber
Orchestra of Europe, Hamburg Philharmonic, Oslo Philharmonic, City of Birmingham
Symphony Orchestra, Vienna Philharmonic, Tonhalle Orchestra in Zurich, Stockholm
Philharmonic and English Chamber Orchestra. In 1991, Brüggen made his debut at the Salzburg
Festival with the Orchestra of the Age of Enlightenment, and his return visits to the Festival
included a highly praised series of concerts with the Mozarteum Orchestra. In 1992, Frans
Brüggen became joint principal guest conductor, together with Sir Simon Rattle, of the Orchestra
of the Age of Enlightenment, with which he recorded works by Bach and Haydn for Philips
Classics. For many years, he was joint principal guest conductor, together with Christoph
von Dohnányi, of the Orchestre de Paris. He was also musical director of a number of operatic
productions, including Mozart's *Mitridate, re di Ponto* in Zurich and Gluck's *Orfeo* with
the Opera de Lyon.

~

In 2005, the Orchestra of the 18th Century under Frans Brüggen inaugurated the first
International Music Festival 'Chopin and his Europe'. For ten successive editions of the festival,
it remained the orchestra in residence, becoming an integral part of the festival's landscape.
Frans Brüggen died on 13 August 2014.

~

THE ORCHESTRA OF THE 18TH CENTURY:

I skrzypce 1st Violins: Marc Destrubé [koncertmistrz/concertmaster], Rémy Baudet, Lorna Glover, Kees Koelmans, Franc Polman, Irmgard Schaller, Annelies van der Vegt, Sayuri Yamagata, Natsumi Wakamatsu

II skrzypce 2nd Violins: Staas Swierstra, Hans Christian Euler, Anthony Martin, Guya Martinini, Marinette Troost, Dirk Vermeulen, Richard Walz, Gustavo Zarba

Altówki Violas: Emilio Moreno, Marten Boeken, Antonio Clares, Else Krieg, Yoshiko Morita

Wiolonczele Cellos: Richte van der Meer, Julie Borsodi, Albert Brüggen, Lidewij Scheifes

Kontrabasy Double basses: Margaret Urquhart, Robert Franenberg, Christian Staude

Flety Flutes: Michael Schmidt-Casdorff, Ricardo Kanji

Oboje Oboes: Frank de Bruine, Alayne Leslie

Klarnety Clarinets: Eric Hoeprich, Guy van Waas

Fagoty Bassoons: Danny Bond, Donna Agrell

Rogi Horns: Teunis van der Zwart, Stefan Blonk

Trąbki Trumpets: David Staff, Jonathan Impett

Kotły Timpani: Maarten van der Valk

~

SEKRET ORKIESTRY

~

Orkiestra – każda – jest dynamicznym bytem o delikatnej strukturze. Rezultaty jej pracy zależą z jednej strony od wszystkich grających w niej muzyków – ich osobowości, indywidualnych cech i zdolności; z drugiej – od dyrygenta, który stając przed zespołem zaledwie kilka dni przed koncertem, może albo wydobyć jego cały potencjał, albo pozbawić go artystycznej indywidualności. Dla zespołów takich jak Orkiestra XVIII Wieku, stworzonych i od początku prowadzonych przez jednego charyzmatycznego dyrygenta, staje się on rzeczywistym liderem, przewodnikiem i jedynym autorytetem. To już nie jest kwestia kilku koncertów czy spektakli – to wspólne zapatrzenie w przyszłość, współpraca budowana na bezgranicznym zaufaniu, szczególnej więzi, przeradzającej się w trwałą przyjaźń. Jeżeli orkiestra przez ponad 30 lat grała w niemal niezmienionym składzie i tylko okazjonalnie – jedynie z konieczności – współpracuje z innymi dyrygentami, oznacza to, że mamy do czynienia z zupełnie wyjątkowym przykładem znakomitego, harmonijnego, dla wszystkich inspirującego współistnienia zespołu, prowadzonego przez osobowość o niezwykłej sile tworzenia i klarownej, przekonującej wizji artystycznej.

~

Film *Sekret Orkiestry*, zrealizowany podczas 9. Międzynarodowego Festiwalu Muzycznego „Chopin i jego Europa" w 2013 roku, jest próbą stworzenia intymnego portretu jednego z największych fenomenów światowej sceny muzycznej ostatniego stulecia. Orkiestra XVIII Wieku, międzynarodowa formacja stworzona w 1981 roku przez holenderskiego flecistę i dyrygenta Fransa Brüggena, błyskawicznie osiągnęła mistrzostwo w historycznym stylu wykonawstwa muzycznego – ten legendarny zespół ma na swoim koncie kilkaset koncertów, kilkadziesiąt płyt – i gorących wielbicieli na wszystkich kontynentach. Sława i legenda zdają się jednak pozostawać daleko poza nie tylko zainteresowaniem, ale i świadomością tak Fransa Brüggena, jak i wszystkich jego muzyków, a także jego najbliższego przyjaciela i dyrektora zarządzającego orkiestrą, Sieuwerta Verstera, z którym zespół ten współtworzył. Słuchając ich i uważnie obserwując, trudno oprzeć się wrażeniu, że w naturalny sposób kreują wokół siebie swój bardzo specjalny własny świat, w którym niespiesznie, z wielką pokorą wobec wykonywanej muzyki, pracują nad kolejnymi wybitnymi interpretacjami, by z radością dzielić się nimi ze słuchaczami.

~

Orkiestra XVIII Wieku po raz pierwszy przyjechała do Polski w 1989 roku do Filharmonii Narodowej z *Wielką mszą h-moll* Jana Sebastiana Bacha – od tamtej pory występowała w Warszawie wielokrotnie, wykonując m.in. utwory Haydna, koncerty fortepianowe Beethovena, a w Poznaniu *Les Indes Galantes* Jeana Philippe'a Rameau.

~

W 2005 roku zainaugurowała organizowane przez Narodowy Instytut Fryderyka Chopina festiwale „Chopin i jego Europa". Przez całą dekadę zespół ten był orkiestrą rezydencjalną tego festiwalu, wyznaczając kulminacje kolejnych jego edycji koncertami z Dang Thai Sonem, Januszem Olejniczakiem, Nelsonem Goernerem, Diną Yoffe, Marthą Argerich, Marią João Pires, Yulianną Avdeevą, Akiko Ebi... To właśnie dla Festiwalu, na prośbę jego pomysłodawcy i dyrektora artystycznego – Stanisława Leszczyńskiego – orkiestra po raz pierwszy sięgnęła po muzykę Fryderyka Chopina. Początkowy chłodny dystans muzyków do tej propozycji szybko przerodził się w szczerą miłość; szereg występów, w tym jakże ważne tournée po Polsce w Roku Chopinowskim 2010, wybitne nagrania wydane w serii fonograficznej Instytutu „The Real Chopin", uczyniły z dzieł genialnego polskiego kompozytora istotną część repertuaru zespołu. W 2012 roku ofiarował on w prezencie urodzinowym królowej holenderskiej, na jej specjalne życzenie... *Koncert fortepianowy f-moll.*

~

Sekret Orkiestry w reżyserii Kasi Kasicy jest wyjątkowym filmem o walorze zarówno dokumentalnym, jak i emocjonalnym. Ułożony z rozmów z Fransem Brüggenem, Sieuwertem Versterem i muzykami należącymi od lat do zespołu, przywołujący nagrania z prób i koncertów podczas festiwali Chopin i jego Europa, oddaje niepowtarzalną atmosferę pracy i przyjaźni tej wyjątkowej grupy ludzi, których niezmiennie łączy pasja i radość wspólnego doświadczania muzyki. Poznając historię Orkiestry, ich spotkań w Polsce z tak wybitnymi osobowościami jak Martha Argerich czy Maria João Pires, możemy – choć na chwilę – znaleźć się w centrum magicznego świata i etosu muzyka, opartego na szczególnej wspólnocie ludzi umiejących zachwycić się i zachwycać innych kreowaniem muzyki. I to jest być może ten sekret orkiestry...

~

Agnieszka Kłopocka

THE BREATH OF THE ORCHESTRA

~

An orchestra – every orchestra – is a dynamic entity with a delicate structure. The results of its work depend, on one hand, on all the musicians playing in it—on their personalities, individual traits and capabilities – and, on the other, on the conductor, who, standing before the ensemble just days before a concert, can either bring out its whole potential or deprive it of artistic identity. For ensembles such as the Orchestra of the Eighteenth Century, created and run from the beginning by a single charismatic conductor, he becomes it genuine leader, guide and sole authority. It is not a question of a handful of concerts or shows; it is about looking to the future together, about a collaboration built on boundless trust, a special bond that grows into lasting friendship. If an orchestra played for over thirty years in a virtually unaltered line-up and only occasionally – out of necessity – works with other conductors, then we are dealing with an outstanding example of the harmonious coexistence – continuously inspiring for all concerned – of an ensemble led by a personality with remarkable creative powers and a clear, persuasive artistic vision.

~

The film *The breath of the Orchestra*, shot during the 9th International Music Festival 'Chopin and his Europe' in 2013, represents an attempt to create an intimate portrait of one of the greatest phenomena on the global music scene of the last one hundred years. The Orchestra of the Eighteenth Century, an international ensemble created in 1981 by the Dutch flautist and conductor Frans Brüggen, rapidly mastered historical-style performance practice. This legendary ensemble can boast hundreds of concerts, dozens of discs and ardent admirers on every continent. Yet that fame and legend appear to remain far beyond the awareness, let alone the interest, of both Frans Brüggen and all his musicians, and also his closest friend Sieuwert Verster, managing director of the orchestra, with whom he founded the ensemble. When listening to them and observing them closely, it is hard to resist the impression that they forge around themselves, in a natural way, their own special world, in which they work unhurriedly, with great humility towards the music they perform, on a succession of outstanding interpretations, in order to share them joyfully with the listeners.

~

The Orchestra of the Eighteenth Century first came to Poland in 1989, at the of Stanisław Leszczyński, to perform Johann Sebastian Bach's great B minor Mass at the Warsaw Philharmonic. In subsequent years, it played here works by Haydn, then in Warsaw the piano concertos of Beethoven, and in Poznań Jean-Philippe Rameau's *Les Indes Galantes*.

~

In 2005, it inaugurated the festival 'Chopin and his Europe', organized by the Fryderyk Chopin Institute. For a whole decade, this ensemble has been the festival's orchestra-in-residence, regularly marking the climax of its successive editions with concerts featuring Dang Thai Son, Krzysztof Jabłoński, Janusz Olejniczak, Nelson Goerner, Dina Yoffe, Martha Argerich, Maria João Pires, Yulianna Avdeeva, Akiko Ebi... And it was for the festival, at the request of its originator and artistic director Stanisław Leszczyński, that the orchestra first turned to the music of Fryderyk Chopin. The musicians' initial coolness soon became genuine love; a succession of performances, including a tour of Poland during Chopin Year 2010, and outstanding recordings released in the Institute's 'Real Chopin' series made the works of the brilliant Polish composer a crucial part of the ensemble's repertoire. In 2012, it offered as a birthday present to the Queen of the Netherlands, at her special request... the Piano Concerto in F minor.

~

The breath of the Orchestra, directed by Kasia Kasica, is a very special film of both documentary and emotional value. Pieced together from conversations with Frans Brüggen, Sieuwert Verster and musicians who have belonged to the ensemble for years, as well as recordings from rehearsals and concerts in the 'Chopin and his Europe' festival, it conveys the unique ambience of the work and friendship of this exceptional group of people, bound by their passion and joy in experiencing music together.
In an intimate atmosphere, we learn of the Orchestra's history and of its encounters in Poland with such outstanding figures as Martha Argerich and Maria João Pires, and we find ourselves – for a moment at least – at the centre of a magical musical world and ethos formed around a special community of people who know how to take delight in what they do and to delight others with its effects, taking pleasure in the wonderful creation of music. And that, perhaps, is the orchestra's secret...

~

Agnieszka Kłopocka [transl. John Comber]

FORTEPIAN ERARD [1849]

~

Instrument ten został zbudowany w Paryżu w 1849 roku. Oznaczony seryjnym numerem fabrycznym 21118 nie różni się konstrukcją od instrumentów znanych Fryderykowi Chopinowi. Jego metalowa rama złożona jest z tzw. listwy zaczepowej [pomiędzy listwą a strojnicą napięte są struny] i sześciu wsporników połączonych z listwą śrubami [równoważących łączną siłę napiętych strun sięgającą kilkunastu ton]. Jest to poprzedniczka dziś stosowanej, odlewanej z żeliwa ramy fortepianu. Klawiatura obejmuje łącznie 7 1/4 oktawy, jak we współczesnych nam fortepianach koncertowych. Oryginalna zabytkowa substancja instrumentu jest zachowana w całości, z wyjątkiem elementów rutynowo wymienianych i uzupełnianych w miarę zużycia. Przy restaurowaniu fortepianu zastosowano identyczne materiały i części wykonane z tych samych surowców i w tej samej technologii co w połowie XIX wieku. [Fortepian jest darem Fundacji Ryszarda Krauzego dla Narodowego Instytutu Fryderyka Chopina.]

ERARD PIANO [1849]

~

This instrument was built in Paris in 1849. Marked with the serial number 21118, it is of identical construction to the instruments familiar to Fryderyk Chopin. Its metal frame comprises a hitch block [the strings are stretched between the hitch block and the pin block] and six braces [counterbalancing the combined force of the taut strings, reaching up to 20 tonnes]. It is the predecessor of the cast-iron piano frame used today. The keyboard covers a total of 7 1/4 octaves, as in modern concert grands. The original, historical substance of the instrument is preserved in its entirety, with the exception of the elements routinely changed with use. The instrument was restored using identical elements, made from the same raw materials and with the same technology, as in the mid-nineteenth century. [The piano was a gift for the Fryderyk Chopin Institute from the Ryszard Krauze Foundation]

Autor projektu, dyrektor artystyczny / Project idea & Artistic Director: Stanisław Leszczyński
~
Producent / Producer:
Narodowy Instytut Fryderyka Chopina / The Fryderyk Chopin Institute, Warsaw
Dyrektor / Director: Artur Szklener
~

Nagranie koncertu / Concert recording:
Studio Koncertowe Polskiego Radia im. Witolda Lutosławskiego w Warszawie /
  Witold Lutosławski Concert Studio of Polish Radio in Warsaw
Redaktor muzyczny wideo / Video Music Editor: Barbara Gola
Reżyseria dźwięku / Sound engineering: Gabriela Blicharz, Lech Dudzik
Realizacja telewizyjna / Vision Director: Waldemar Stroński
Produkcja telewizyjna i wideo / TV and Video production: UFO, Piotr Świtek, Zbigniew Szumera
Fortepian / Piano: Erard, 1849
Przygotowanie fortepianu / Piano tuning: Szymon Jasnowski
~
Współpraca / Co-operation: Polskie Radio, Program 2
Dyrektor / Director: Małgorzata Małaszko-Stasiewicz
~

Sekret orkiestry / The Breath of the Orchestra:
Reżyseria / Directed by: Kasia Kasica
Projekt filmu i konsultacja merytoryczna / Film idea and supervising: Stanisław Leszczyński
Scenariusz i wywiady / Written and interviewed by: Kasia Kasica, Agata Mierzejewska
Zdjęcia / Cinematography by: Małgorzata Szyłak, Sławomir Bergański
Montaż / Edited by: Agnieszka Glińska PSM
Korekta barwna / Color grading: Anna Sujka, Lunapark
Dźwięk na planie / Sound on the set: Anna Rok
Opracowanie dźwięku / Sound designer: Agata Chodyra
Reżyserzy nagrań muzycznych / Recorded music sound producers: Gabriela Blicharz, Lech Dudzik
Kierownictwo produkcji / Unit manager: Kasia Kasica
~
Koordynator projektu / Project co-ordinator: Agnieszka Smektała
Współpraca / Co-operation: Agnieszka Kłopocka
Zdjęcia / Photographs: Bartosz Sadowski, Annelies van der Vegt [s./p. 16, 24], archiwa NIFC
Projekt graficzny / Graphic design & page layout: Darek Komorek
~

Podkład muzyczny w menu płyty / Background music to disc menu:
Ludwig van Beethoven *I Koncert fortepianowy C-dur* op. 15, cz. II *Largo* / Piano Concerto No. 1
  in C major, Op. 15, II mov. Largo; Martha Argerich, The Orchestra of the 18th Century, Frans Brüggen
~
℗© 2014, Narodowy Instytut Fryderyka Chopina / The Fryderyk Chopin Institute

~
www.chopin.nifc.pl